D0190570

Collection dirigée par Valérie TRACQUI

la coccinelle

terreur des pucerons

Texte de
Cécile DUVAL

patte à patte

MILAN

Qu'elles ont l'air grosses, comme ça, vues de près !

Enfin le printemps !

Sous la douce chaleur du soleil, la prairie se couvre de fleurs. Leur parfum se répand au gré du vent. Et le bourdonnement des abeilles se mêle aux premiers chants des oiseaux...
Furtif, un papillon quitte la corolle d'une marguerite pour se poser un peu plus loin. Au cœur d'une grande fleur jaune, deux coccinelles se chauffent tranquillement au soleil.
Elles ne craignent rien... Car elles sécrètent, en effet, quand elles sont en danger, un liquide amer qui sent très mauvais et n'est pas bon du tout. Leurs ennemis apprennent vite à les éviter. Les oiseaux, les rongeurs et les araignées qui ont déjà goûté aux coccinelles en gardent à jamais le souvenir.
Alors mieux vaut ne pas y toucher !

En réalité, elles ont la taille d'un grain de café.

Sept points, mais pas sept ans !

Cette coccinelle a sept points noirs sur le dos, mais cela ne veut pas dire qu'elle a sept ans. La preuve : elle n'est pas plus vieille ni plus jeune que sa cousine à deux points. Le nombre de points des coccinelles n'a rien à voir avec l'âge. Il permet plutôt de distinguer les différentes espèces entre elles. Et il y a plus de trois mille espèces de coccinelles dans le monde !

Regardons-la de plus près. Tiens ! Ce n'est pas une carapace qu'elle a sur le dos puisque ça s'ouvre au milieu. Ce sont deux ailes dures, des élytres, qui la protègent des parasites et de la déshydratation. Mais, où est-elle ? Pfutt, en un clin d'œil la coccinelle a disparu.

La coccinelle à sept points ne peut se reproduire avec sa voisine, la coccinelle à deux points, car ce sont deux espèces différentes de coléoptères.

La coccinelle ne montre pas souvent son ventre plat. Comme tous les insectes, elle a six pattes et un corps segmenté. Quand elle est inquiétée, elle fait semblant d'être morte et ne bouge plus.

Pas facile de repérer ses petits yeux noirs à côté des taches blanches !

Vole, vole, bête à bon Dieu...

La voilà ! Cette fois-ci, il ne faut pas la quitter des yeux.

Posée sur le bout d'un doigt,
on l'interroge :
« Bête à bon Dieu, fera-t-il beau dimanche ? »
Plus vite elle prend son envol,
plus le temps sera beau !

Elle effectue plusieurs battements d'ailes par seconde pour se déplacer dans l'air. Il est très difficile de la suivre des yeux. Elle se déplace souvent très loin, surtout lorsqu'il fait beau. Sa température préférée est entre 15 et 25 degrés.

Arrivée au sommet de la fleur, la coccinelle soulève ses élytres rouge et noir.

Elle déplie ses ailes transparentes et s'envole. Mais quelle vitesse !

Bientôt, le mâle part à la recherche d'une femelle. Il tournoie autour d'elle, puis s'approche et lui monte sur le dos pour la féconder. Pas facile de tenir sur un dos rond et tout lisse !
Après l'accouplement, les coccinelles à sept points se dispersent dans les herbes basses, les céréales, les betteraves, le colza...
Mais que cherchent-elles ?

Il est difficile chez les coccinelles de reconnaître le mâle de la femelle, sauf au moment de l'accouplement. C'est le mâle qui monte sur la femelle.

La terreur des pucerons

La femelle inspecte les tiges des plantes à la recherche de son plat préféré : les pucerons. Avant de pondre ses œufs, elle a besoin de prendre des forces. Elle peut dévorer plus de quinze espèces différentes. C'est un vrai prédateur.
Vorace, elle peut manger jusqu'à cent pucerons par jour. Et si elle ne mange que les parties tendres, elle en dévore un plus grand nombre encore.

Les pucerons, agglomérés en manchon autour des tiges, causent de terribles dégâts. Ils affaiblissent les plantes en suçant la sève et leur transmettent parfois des maladies.

La coccinelle mord le puceron au niveau de la cuisse, puis le ramollit en lui injectant de la salive avant de le broyer avec ses puissantes mandibules. Terrible !

Parfois elle aspire le contenu du puceron qui se dégonfle comme un ballon de baudruche.

Sur les quatre-vingt-dix espèces de coccinelles en France, seules quatre espèces sont phytophages, c'est-à-dire se nourrissent de végétaux comme celle-ci.

Toutes les coccinelles n'ont pas le même régime. Certaines préfèrent les cochenilles, d'autres les champignons ; d'autres encore se nourrissent de plantes. Et même celles qui attaquent les pucerons au printemps se nourrissent en été d'autres insectes, de nectar ou de pollen.

La femelle cherche soigneusement les colonies de pucerons dans lesquelles elle va déposer ses œufs.

Les œufs sont gros comme des têtes d'épingle. Ils sont la proie facile de nombreux insectes.

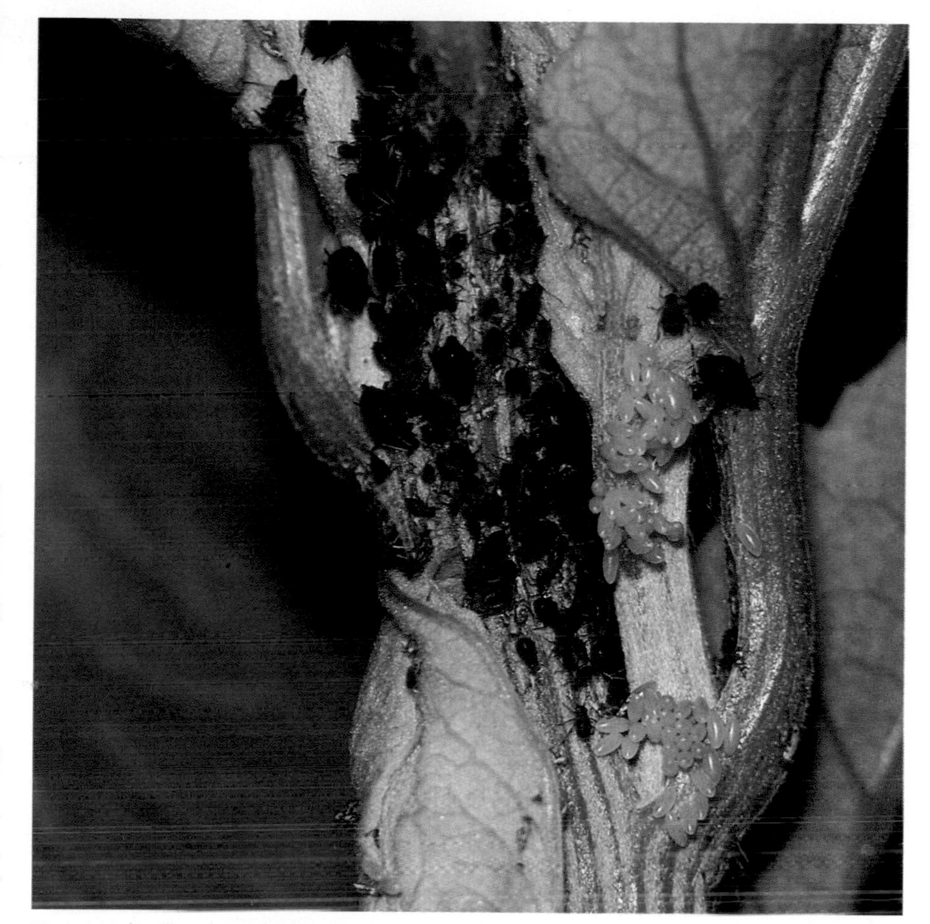

Une coccinelle peut pondre de cinquante à mille œufs durant sa vie. Mais cela dépend de l'espèce et aussi de l'alimentation de l'adulte et du climat. Les pucerons noirs, à côté des œufs, ne se doutent pas de ce qui les attend...

Des œufs jaune d'or

Une fois rassasiée, une à deux semaines plus tard, la femelle peut pondre ses œufs. Où ?... Dans une colonie de pucerons ou à proximité, car elle sait que ses petites larves en raffoleront aussi. Un à un, elle colle ses œufs verticalement sous les feuilles, par paquets. Elle pond cinquante œufs par jour. Suivant la quantité de pucerons disponible, elle pondra plus ou moins.

Au bout de quatre jours, quand les larves sont prêtes à sortir, l'œuf se craquelle au sommet et de petites pattes apparaissent. La larve se sèche avant de partir en chasse.

Jaune d'or au début, les œufs deviennent ensuite verdâtres. Puis les larves sortent la tête en bas. Petites et transparentes, elles sont encore fragiles.

Oh ! la gourmande !...

Très vorace, la larve savoure les pucerons pleins de sucre. Au début, elle est plus petite qu'eux, mais elle grossit bien vite. Pour grandir, la larve mue en quittant sa peau devenue trop étroite. Elle en sort recouverte d'une enveloppe plus large, dans laquelle elle peut continuer à grossir.

Elle a maintenant plus d'un centimètre de long. En dix-huit jours, elle a mué quatre fois. Elle est encore plus cannibale qu'une coccinelle adulte et dévore une centaine de pucerons par jour.

Mais les fourmis sont, elles aussi, intéressées par les pucerons car elles aiment leur miellat sucré. En échange de cette nourriture de choix, elles les soignent et les protègent contre les coccinelles et leurs larves.

Mmm ! ce puceron volant ! Quel régal ! La larve, aveugle, repère ses proies au hasard en se déplaçant sur la tige ou sur les nervures et les bords des feuilles.

Une fourmi tapote le ventre d'un puceron avec ses antennes pour qu'il sécrète du miellat au bout de son abdomen. Et hop ! elle aspire la gouttelette. Avec tous ces pucerons, elle a de quoi attraper une indigestion.

Furieuse d'être dérangée, la fourmi mord la larve de coccinelle avec ses mandibules tranchantes et lui injecte du poison. Blessée, la larve se laisse tomber à terre. Ouf ! Elle l'a échappé belle...

Une transformation pas comme les autres !

Trois semaines plus tard, la larve s'arrête de manger. Elle est assez grosse pour devenir adulte. Elle va subir une dernière métamorphose avant de se transformer en coccinelle.

La larve se fixe sur une plante par une sorte de pied à l'extrémité de son abdomen.

Dans l'immobilité la plus complète, elle se transforme en chrysalide. À l'intérieur de cette nymphe, raide et sèche, la future coccinelle se développe...

Au bout de huit jours, elle commence à bouger. Et tout à coup, elle se secoue et déchire l'enveloppe nymphale. Elle sort la tête en bas.

Tiens ! Elle est toute jaune et n'a pas de points ! Elle se retourne et choisit une place bien dégagée sur la tige, pour se reposer et se laisser durcir.

Ses élytres, d'abord mats et souples, deviennent rapidement brillants. Sans les soulever, elle déplisse ses ailes transparentes pour les faire sécher...

...et de petits points noirs apparaissent sur son dos.

L'enveloppe de la coccinelle, l'exuvie, n'est plus qu'un petit sac vide à côté d'elle.

Dès qu'elle peut se déplacer, la jeune coccinelle part à la recherche... de pucerons. Il lui faut faire des réserves de graisse et de sucre.

Ces deux coccinelles n'ont pas la même couleur parce qu'elles n'ont pas le même âge. Plus elles sont rouges, plus elles sont âgées.

Toute belle, toute neuve

Comme par enchantement, la coccinelle prend petit à petit une belle couleur orangée et les points noirs sur son dos sont maintenant bien nets.
Jusqu'au début de l'été, elle mange, mange et mange encore les derniers pucerons. Elle complète ensuite son menu avec d'autres insectes.

Sur toutes les jeunes coccinelles qui apparaissent au printemps, seulement 20 % survivent aux attaques de leurs nombreux ennemis naturels : prédateurs, parasites et maladies.

Bon voyage !

Avec la venue des fortes chaleurs, la coccinelle à sept points n'a plus envie de manger. Comme toutes ses compagnes, elle commence à migrer. Elle quitte les champs et monte sur les hauteurs, poussée par le vent : c'est l'estive.

Peut-être va-t-elle s'arrêter sur le bord de la mer ou sur une barrière de montagne ? Elle peut aussi atterrir tout simplement sur une tour, une maison ou un arbre, s'ils occupent une position élevée, bien en vue. Là, elle retrouve des centaines de coccinelles de la même espèce qui se regroupent pour passer l'automne et l'hiver au repos.

Durant les migrations, les coccinelles peuvent voler pendant 50 km sans s'arrêter et atteindre 2 000 m d'altitude.

Rassemblées sous les pierres, dans les fentes de rocher, sous l'écorce des arbres, elles hivernent à l'abri. A leur réveil, elles ont usé toutes leurs réserves et sont beaucoup plus légères.

Il leur faut surtout de la chaleur et pas d'humidité. Certaines plantes comme les pins, les genévriers, les buis ou les genêts sont de bons supports lorsque les hivers ne sont pas trop rigoureux.

Beaucoup meurent d'épidémies transmises par quelques coccinelles malades. Celles qui survivent se réveilleront en janvier. Mais elles attendront les beaux jours pour à nouveau se reproduire et dévorer des pucerons.
Alors, bonne chance, petite coccinelle...

Selon les endroits, les rassemblements comptent entre une dizaine et des milliers d'individus.

Protégeons les coccinelles pour protéger les plantes

La coccinelle, terreur des pucerons, est l'amie de l'agriculteur et du forestier. Mais elle est très vulnérable. Comment l'aider à survivre et à se multiplier pour protéger les plantes ?...

Ces coccinelles élevées à Antibes sur des courges et des pastèques ont été relâchées en Mauritanie et au Maroc pour combattre les cochenilles du palmier dattier.

Éviter les insecticides

Les coccinelles meurent quand elles sont en contact avec des végétaux traités par des insecticides et quand elles mangent des insectes empoisonnés. De plus, leurs œufs et leurs nymphes sont directement détruits par ces produits chimiques. Alors, un petit effort !

Construire des abris artificiels

La mise en place, au pied des plantes, d'abris artificiels en fibrociment, imitant les fentes de rochers dans lesquels les coccinelles viennent se rassembler, permet de réduire leur mortalité durant l'hiver.
La densité des espèces utiles est ainsi augmentée.

Abri artificiel placé dans les collines de haute Provence par les chercheurs de l'Institut national de la recherche agronomique d'Antibes.

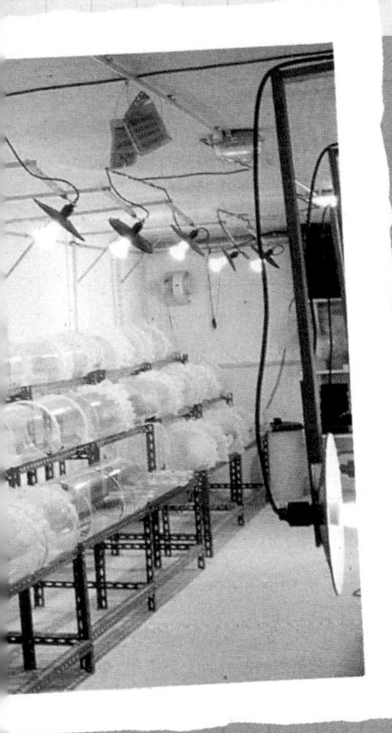

L'élevage d'Antibes

À la station de lutte biologique d'Antibes, des chercheurs ont mis au point un élevage en masse de différentes espèces de coccinelles utiles à l'agriculteur ou au forestier. Certaines sont originaires d'Amérique, d'Australie ou d'Afrique. Elles sont relâchées ponctuellement dans le sud de la France ou en Afrique pour lutter contre les pullulations de cochenilles. Les recherches se poursuivent activement pour perfectionner cette lutte des insectes contre les insectes.

Des insectes contre les insectes

Chaque printemps, les cultures sont envahies de pucerons de toutes les couleurs qui détruisent les plantes. L'utilisation de produits chimiques pour les détruire pose de graves problèmes, car on tue alors aussi de nombreux autres animaux.

Alors, pour protéger les cultures en limitant le nombre de pucerons, les chercheurs ont pensé utiliser les coccinelles qui en mangent énormément. Pour cela, il faut d'abord les multiplier avant de les relâcher dans la nature,pour qu'elles soient nombreuses à faire leur utile travail. C'est ce que l'on appelle la lutte biologique.

L'élevage de Caen : sur l'étagère du bas, les pucerons noirs se multiplient en mangeant les tiges des fèves qui germent sur des copeaux humides. En haut, les œufs sont placés dans des cages de tulle, closes mais aérées, qui contiennent des fèves couvertes de pucerons. Les larves se transforment alors en coccinelles adultes.

Une expérience à Caen

Depuis 1981, la ville de Caen a mis au point un élevage de coccinelles à sept points et à deux points pour lutter contre la pullulation de pucerons dans les espaces verts de toute la ville. Les chercheurs font d'abord un élevage de pucerons pour nourrir les coccinelles, qui se multiplient en laboratoire. Puis ils les relâchent dans la nature. Grâce à cette technique, la ville de Caen n'utilise plus de traitements insecticides contre les pucerons. L'opération est réussie. Merci, les coccinelles !

La famille des coccinelles

Il existe plus de trois mille espèces de coccinelles dans le monde dont quatre-vingt-dix espèces en France et en Europe. Des rouges, des noires, des jaunes, avec deux, sept, quatorze ou vingt-deux points sur le dos. Un vrai festival de couleurs.

Dans sa robe rose et noir, la *coccinelle à seize points* est bien élégante.

La *coccinelle à deux points* est très commune. Elle existe en rouge à points noirs...

... et en noir à points rouges. Mais les deux individus peuvent se reproduire ensemble car ils sont de la même espèce, comme le sont un brun et une blonde...

Ces deux coccinelles en train de s'accoupler sont végétariennes. Elles adorent les feuilles de melon.

La *coccinelle à points variables*, raffole des pucerons comme celle à sept points.

Ce sont des *coccinelles à quatorze points*. Le mâle, ici noir à points jaunes, monte sur la femelle jaune à points noirs pour la féconder.

Pour se différencier certaines coccinelles n'ont pas de points du tout.

D'autres en ont beaucoup ! Celle-ci est africaine et vit en Ouganda. Que de différences dans une même famille !

Crédit photographique sauf A et J Six :
JACANA : Collobert p. 4, Pilloud p. 6 (b.), p. 9, Veiller p. 11, Tercafs p. 14 (h.), Dulhoste p. 15 (h.), Winner p. 15 (b.), Roux p. 22 (h.), Nardin p. 7 (b.d.), p. 22 (b.), Rebouleau p. 23 (h.).
FOTOGRAM STONE : p. 6-7 (fond), Berne p. 16-17 (fond).
DOUGIN : p. 25 (b.).
STAROSTA : p. 14 (b.).
BOULOUX : p. 23 (b.).
INRA : Iperti p. 24-25 (m.), p. 24 (b.).
CHAUBET : p. 19 (b.d.).

Avec tous nos remerciements à Gabriel Iperti de l'Institut National de la Recherche Agronomique d'Antibes et Jean-Marie Gourreau du Laboratoire Central de recherches vétérinaires de Maisons-Alfort pour leurs conseils scientifiques.

Loi 49.956 du 16.07.1949
Dépôt légal : 1er trimestre 2000
ISBN : 2.86726.398.0
Imprimé en Belgique par Casterman, S.A., Tournai.